KB133150

단편소설집　압정게임

목차

노인들의 세상

어디선가 구수한 냄새가 올라온다. 청국장 냄새 같기도 아니면 고약한 냄새 같기도 한 이것은 분명 노인들의 아침 식사에 올라올 갖가지 요리 냄새일 것이다. 나는 아침마다 냄새로 하루를 시작한다. 혼자 자취생활을 하는 나에게 이것은 그리운 본가를 떠올리게 하기도 하고, 인상을 찌푸리는 악취가 되기도 한다. 그렇지만 별수 없는 건 이 임대 아파트에는 90퍼센트 이상의 주민들이 노인이기 때문이다. 그들 속에서 섞여 사는, 소수민인 나, 그러니까 이십 대로서는 응당 이해하며 조용히 지나가야 할 문제라는 소리이다. 즉, 이웃의 정을 위시하면서 서로의 살림살이까지 간섭하는 노인들 속에서 살아가려면 무조건 '사람 좋은' 태도를 유지해야만 한다. 실은 나는 매우 예민하고 까다로운 사람이라고, 그런 자신을 드러내고 싶은 적도 많았지만 인제 와서 그런 말을 지껄여봤자 이상한 젊은이 취급을 당할 것으로 생각할 뿐이었다.

"아가씨, 어디가?"

"네, 알바하러 가요."

"참 부지런히도 사네. 그 무슨 공부 한다고 했었지?"

"공무원이요. 공무원 시험 준비해요."

"무슨 공무원을 준비하는데?"

"사회복지요."

"아가씨한테 어울리네."

나는 '사람 좋은' 웃음을 지으며 아파트 단지를 빠져나갔다. 엘리베이터 1층을 누르고 내려가노라면 모든 노인이 한 마디씩은 꼭 내 근황을 물어보기 마련이었다. 말하고 또 말해봤자 그들의 기억력은 한계가 있었고, 나는 그러한 웃음으로 어물쩍 넘어가려고 애썼다. 가끔은 편의점에서 알바를 하다가 남겨온 폐기 음식들을 한 봉지에 들고 집에 가려는데 어떤 노인과 마주친 적이 있었다.

맛있겠다.

그 한마디에 나는 하는 수 없이 그에게 봉지를 넘겨주어야만 했다.

노인과 어울리는 삶이 퍽 복잡하고 귀찮지만, '이웃'이라는 이유로 알뜰살뜰 챙겨주는 것도 나쁘지만은 않았다. 그들은 텃밭에 심어놓은 상추, 말린 고추, 고구마 줄거리 따위를 검은 비닐봉지에 담아 우리 집 문고리에 걸어놓기도 했다. 때로는 봉지의 수가 두 개, 세 개나 되는 적도 있었는데, 그중 하나는 총각김치여서 하마터면 문고리가 무게를 이기지 못하고 떨어져 나갈 뻔하기도 했다. 그들은 때가 되면 먹을 것을 공수해 주었다. 나는 그들을 위해 큰일을 한 것이 전혀 없었다. 그저 그들의 말에 귀 기울여주고 빙긋 웃어줄 따름이었다. 그들의 오지랖은 내가 공무원 시험을 준비한다는 소문이 온 아파트 단지에 퍼졌을 때부터였는데, 어쩌면 그 시작 때문에 내가 더욱 시험에 집중할 수밖에 없는 요인이 만들어진 것 아닌가 싶었다.

공무원 아가씨.

이렇게 불러주는 통에 나는 본의 아니게 미리부터 공무원 신분을 준비해야만 했다. 어쨌거나 나는 그들과 함께 복작거리며 살아야 하는 처지여서, 좋은 점도 있고 나쁜 점도 있고 한, 아파트의 한 주민이다. 이웃의 정을 위시하면서 서로의 살림살이에 간섭하는 것이 일과인 노인들로부터 관심을 한 몸에 받으며 살아가는 유일한 청년. 그에 보답하는 따뜻한 미소가 억지웃음이 아니라 한결같이 따뜻해지기를 바라는 보통의 사람. 보통의 아가씨.

가영 할머니가 사라졌다. 그녀는 분홍색 카디건을 걸치고 꽃무늬 원피스를 입은 채 유모차를 끌고 다니며 아파트 근린 공원들을 훑어 폐지를 줍는 소일거리를 하는 분이었다. 그녀는 내가 알바를 하러 내려갈 시간에 맞춰 3층의 버튼을 누르는, 그래서 알게 된 입주민이었다.

"아가씨, 오늘은 비가 오는지 아우?"

항상 이렇게 물었기에, '비가 안 오네요'라든지 '비가 올 것 같네요'라는 말로 대답하며 서로의 안부를 대신했다. 그녀는 날씨에 따라 쓰는 모자가 바뀌었다. 비가 오면 짙은 보라색을, 비가 오지 않으면 꽃분홍색을, 비가 올 것 같은 날이면 하늘색을 취사선택해 쓰곤 했다. 나는 모자 색상으로 일기예보를 파악했고, 그에 따라 대답했다. 예의상 주고받는 인사말 때문인지 내적 친밀감도 어느 정도 느껴졌는데, 그렇다 할지라도 그녀가 어떤 사람인지는 정확히 파악하지 못했다. 나는 그녀의 주름진 얼굴 사이로 지난한 삶을 살아왔을 것이라고 어렴풋이 추정할 따름이었지만, 긴말이 이어질까 봐 귀찮아서 차마 '비가 오네요'

와 같은 말 이외에는 다른 말을 붙이지 못했다.

그녀가 사라진 것은 사흘 전부터였다. 알바를 하러 내려가면서 3층을 고스란히 지나치는 엘리베이터가 이상하게 느껴졌다. 처음에는 어, 스쳐 지나가네, 라고 생각하는 사이 나는 열린 엘리베이터 문을 부지런히 빠져나갔다. 그러다 오늘도 스쳐 지나가네, 또 지나가네 하는 생각이 되뇌어지면서 약간은 무서워졌다. 뉴스에서 보았던 독거노인의 죽음, 이런 것들이 자꾸만 떠올랐기 때문이었다. 나는 그것이 정말인지 알고 싶었다. 나는 그녀가 살고 있는 3층, 304호의 문을 두드리기로 작정했다. 그녀의 주소는 이미 알고 있었다. 일전에 콩나물이 담긴 봉지를 주면서 304호라고 말해주었다. 그런데 304호의 문을 두드렸지만, 아무 반응이 없었다. 대신 문 안쪽에서 동물이 우는 것 같은 소리가 들려왔다. 나는 문고리를 잡아 돌렸다. 문은 열려 있었다. 거실 한가운데에 이불이 깔려 있었고 그 위에는 가영 할머니가 누워 있었다. 그녀는 무더운 여름 날씨에도 불구하고 이불을 목 끝까지 끌어 올리고 있었다. 집안에서는 시궁창 냄새가 진동했다. 그녀의 눈은 움푹 들어가 있었고 주름진 눈가 사이로 하얀 눈곱이 끼어 있었다.

"할머니, 괜찮으세요?"

나는 신발을 벗고 들어가 그녀에게 다가갔다. 그녀의 이마에는 젖은 수건이 올려져 있었다. 수건에 손을 갖다 대니 미지근했다. 그녀는 가늘게 눈을 뜨며 불청객을 확인했다. 그리고 손님이 곧 나라는 사실을 깨닫자, 안심했다는 듯 얕은 한숨을 내쉬었다. 그녀는 오른손을 휘적거리며 괜찮다는 표시를 했다. 나는 그녀의 손을 잡았다. 물에 적셨다가 찢어진 종이처럼 앙상하고 쪼글쪼글한 촉감이 정답게 느껴졌다. 그녀는 입을 벌렸다.

"왜 왔어?"

나는 대답 대신 눈물을 글썽였다. 그녀의 실종이 하마터면 독거노인 고독사로 이어질 뻔했을 거라고, 차마 얘기는 하지 못하고 입술 안으로 말을 삼켰다. 그녀는 천천히 몸을 일으켰다. 그리곤 왜 이렇게 몸져눕게 되었는지 설명을 이어갔다.

"옥분 할매 있잖아. 10층에 사는. 그 할매한테 얻어맞았어. 자리 넘어오지 말라고."

"옥분 할머니요? 그 머리 까맣게 염색하신."

"응. 보통내기가 아니더라고. 고집이 엄청나. 그 할매가 내가 주운 폐지를 보고 자기가 먼저 찜해놓은 거라며 내놓으라는 거야. 필사적으로 말렸지. 대들고. 그러니까 가지고 있던 지팡이를 마구 휘두르더라고. 별수 있나, 맞았지."

그녀는 소매를 걷어붙였다. 검은 반점이 돋은 팔목 위에 검붉은 멍이 들어 있었다. 그녀는 소매를 내리고 재차 한숨을 쉬었다.

"이제 이 짓도 못 하겠어. 무서워서 어디 살 수가 있어야지, 원. 내가 아쉬워서 이 일을 하는 게 아니야. 운동 삼아, 용돈 버는 재미로 하는 거야. 그런데 옥분 할매는 달라. 이 동네에서 제일 욕심 많기로 유명하거든. 아파트 뒤편에 있는 폐지들, 다 옥분네 거야."

나는 할머니들의 거친 싸움에 고개를 절레절레 흔들었다. 아이들도 아니고 다 늙은 노인들끼리 제 것을 외치면서 팽팽하게 싸우는 것이 이해되지 않았다. 그러면서도 인간의 욕심이란 어쩔 수가 없구나, 하고 생각했다. 폐지를 줍는다고 떼돈을 버는 것도 아닌데, 꼭 이렇게까지 해야만 할까.

"할머니, 제가 편의점에서 알바하잖아요. 거기서 생긴 폐지들 모아다가 할머니한테 드릴게요. 그러니까 싸우지도 마시고 다치지도 마세요."

가영 할머니는 쪼글쪼글한 입술을 앙다물면서 대답을 대신했다. 할머니들의 기 싸움에 휘둘리지 않으면서도 적당히 도와드릴 수 있는 것이라면, 내가 조금씩 폐지를 가져다드리는 방법 외에는 딱히 떠오르는 것이 없었다. 그녀는 몸이 회복되고 나면 또다시 습관적으로 폐지를 주우러 다닐 것이다. 동시에 옥분 할머니를 만나 또다시 티격태격 다투게 될 것이다. 그렇다면 이렇게 나약한 가영 할머니는 반드시 제자리에서 고꾸라지거나 어떻게 될 것임은 뻔한 일이다. 그것을 막기 위해서라도 차라리 내 쪽에서 먼저 폐지를 가져다드리는 편이 마음 편하다.

"노인들의 싸움이란 다 그러는 법이야, 아가씨."

나는 다시 한번 그녀의 손을 잡았다. 그녀의 손에서 약한 떨림이 느껴졌다.

나는 옥분 할머니를 만날 수 있었는데, 아파트 단지 내 분리수거함에다 플라스틱류를 버리러 갈 때였다. 할머니는 내 쪽을 쳐다보지도 않고선 내가 왔는지 어떻게 알고는 "그거 봉지 풀지 말고 나 줘."라고 말했다. 나는 예에, 하고 등을 돌렸는데 그 순간 그녀가 플라스틱 산을 뒤적거리고 있다는 사실을 깨달았다.

그녀를 두 번째 만났을 때는 가영 할머니에게 폐지를 전해 주려 노끈으로 폐지들을 묶고 엘리베이터를 타러 가는 중이었다. 옥분 할머니는 폐지가 쌓인 유모차를 끌고 내 쪽으로 다가왔다.

"주슈."

"네?"

"그거 달라고."

"버릴 거 아닌데요, 할머니."

"그럼, 누구 선물 주게?"

"선물은요. 제가 쓸 거예요."

"가영 할망구 주려고 그러는 거야?"

나는 네와 에 사이의 말을 어렵사리 꺼냈다. 그런데도 옥분 할머니는 크게 신경 쓰지 않는 눈치였다. 그녀는 유모차를 휙 돌려 자기 갈 길을 갔다. 가는 길에는 폐지를 줍고 있는 또 다른 할머니에게 역정을 내고 있었다.

"이놈의 할망구야, 거기다가 모아놓은 거 다 내가 했단 말이야! 당장 안 내려놔!"

사실 맞는 말이긴 하다. 아파트 뒤편으로 모아놓은 폐지들은 모조리 그녀가 해낸 노동의 결과였다. 그렇기에 누구도 그녀가 모은 폐지들을 건드릴 수 없었다. 옥분 할머니는 억척스러운 고집도 있어서, 한 번 찍히면 가만히 두지 않는다는 소문이 아파트 내에 돌기도 했다. 그녀에게 밉보이면 인생이 고달파진다는 소리에, 모든 입주민은 그녀의 눈치를 보곤 했다. 심지어 경비 아저씨까지도 말이다. 나는 겨우 폐지 하나 때문에 서로가 각박해져 가는 현실이 퍽 우스꽝스러웠다.

그러던 어느 날, 사건은 터지고야 말았다. 장맛비가 내리는 날, 폐지를 모아놓은 더미에 비닐을 씌우려던 옥분 할머니가 빗길에 미끄러지고 만 것이다. 그녀는 허리를 다쳐 한동안 폐지를 주우러 나올 수 없었다. 주변의 노인들은 이때다 싶어서 옥분 할머니가 쌓아 올린 폐지를 남몰래 빼내어 팔아넘기곤 했다. 그러면서도 옥분 할머니네 집을 두드리는 사람은 아무도 없었다. 나는 옥분 할머니의 사고 소식을 듣고 마음이 무거워졌다. 게다가 폐지 현장에는 남들이 다 가져가고 남은 폐지들, 그러니까 연일 계속되는 장맛비에 노출된 흐물흐물하고 무용한 폐지들을 보노라면 더더욱 그러했다. 다른 노인들은 그간 자신들을 괴롭히고 퉁명스레 대한 대가라고 했으나, 나는 그들의 편을 서야 하는지 알 수 없었다. 대신 물에 녹아내린 폐지를 보면서 옥분 할머니에게 한 번쯤은 얼굴을 비추는 것이 젊은이의 예의랄까 도 道랄까 뭐 그런 것으로 판단하면서 옥분 할머니가 사는 1002호의 문 앞에 섰다.

초인종을 누르자 안에서 끙, 하는 소리와 함께 인기척이 가까워져 갔다. 문이 열리고 빼꼼히 고개를 내민 옥분 할머니의 초췌한 얼굴이 보였다.

"젊은 아가씨, 무슨 일이야."

"요즘 안 보이시길래 와 봤어요. 괜찮으세요?"

"들어와."

옥분 할머니의 집은 놀라울 정도로 엉망이었다. 캔, 플라스틱, 종이 등 온갖 재활용품이 묶음별로 쌓여 있었다.

"집이 좀 어수선해."

그녀는 허리에 손을 짚으며 말했다. 그녀는 미지근한 보리차를 대접했다. 나는 오는 길에 사 온 술떡을 내어 드렸다.

"할머니, 뭐가 많네요."

"내가 그럴 사정이 있어서 그래."

"그럴 사정이요?"

"다 말하기는 어렵고."

그녀는 내 손을 잡으며 여러 차례 쓸어댔다. 전에 한 번도 본 적이 없었던 눈빛을 빛내면서.

"아가씨는 착하니까 내 말을 잘 알아들을 거야. 응. 내가 어렸을 때 둘째 부인으로 들어가 살았거든. 그러다가 우리 아저씨가 돌아가시니까 형님한테 쫓겨났지. 쫓겨나고 보니까 손에 쥐어진 게 아무것도 없는 거야. 그때부터 모을 수 있는 건 싹 다 모으기 시작했어. 우유갑이든, 빈 병이든, 캔이든, 종이든."

"그러셨군요. 많이 힘드셨겠어요."

그러자 옥분 할머니의 눈빛이 거칠게 변했다.

"그런데 저 할망구들이! 아고고 허리야……."

그녀는 허리를 붙잡고 한동안 앓는 소리를 내었다. 나는 그녀의 허리를 쓰다듬었다. 그녀는 괜찮다고 했지만 그렇지 않아 보였다. 나는 이제야 그녀가 왜 이리 사람들에게 거세게 굴었는지를 알게 되었다. 동시에 그녀에 대해 뜻 모를 동정심이 느껴졌다. 그녀의 억센 손이, 심술궂은 얼굴이 이전과 달리 느껴졌다. 그녀는 나에게 빙긋 웃어 보였다. 처음 보는 표정이었다. 나는 어쩌면 옥분 할머니의 일면을 알게 되어 다행이라는 생각이 들었다. 앞으로 그녀가 다른 입주민과 다투게 될 때 내가 둘 사이를 중재하는 쿠션 역할을 할 수 있을지도 모른다고 생각하면서. 이 아파트의 그 누구도 할 수 없는, 나만이 할 수 있는 일을.

그렇지만 가영 할머니와 옥분 할머니의 골은 점점 깊어져만 갔다. 그녀들은 대체로 폐지의 소유권을 두고 고성을 질러댔다. 허리가 완전히 회복된 옥분 할머니와 그녀에게서 당당히 맞설 전의를 가지고 온 가영 할머니와의 다툼은 아파트 단지를 떠들썩하게 만들었다. 처음에는 경비 아저씨가 말려보려 노력했지만, 그도 잘 이루어지지 않았다. 경비 아저씨는 고래 싸움에 새우등이 터지는 꼴이었다.

한번은 편의점 알바를 가려고 길을 나섰는데, 할머니 두 분이 여느 때와 같이 소리를 내지르며 싸우고 있었다. 경비 아저씨는 허리에 손을 짚고 어느 편을 들어야 할지 난감해하는 표정을 짓고 있었다. 나는 얼른 그들 사이로 다가가 양손을 벌려 둘을 떼어냈다.

"아니, 아가씨는 비켜. 저년이 내 폐지를 가져가려고 하잖아."

"폐지가 있으면 그냥 줍는 거지. 내 거 네 거가 어딨어?"

"뭐라고? 아직도 머리를 안 뜯겨서 정신을 못 차렸나?"

옥분 할머니는 부들거리며 박스 하나를 머리 위로 번쩍 들어 올렸다. 평소 같았으면 상상도 못 할 괴력이었다. 그녀는 박스를 들고서 가영 할머니에서 내리쳤다. 나는 필사적으로 그녀

18

를 막았다. 그러면서 머리가 울렁거리기 시작했다. 나는 거친 소리를 뒤로 하고 정신을 잃었다.

눈을 뜨니 낯선 풍경이 보였다. 푸르른 하늘, 습하고 더운 열기, 시끌벅적한 소음들. 정신을 차리고 보니 이곳은 아파트 단지 한복판이었다. 주변에는 아무도 없었다.

"깼어?"

가영 할머니였다. 할머니가 걱정스러운 얼굴로 나를 내려다 보고 있었다.

"아가씨가 연약해서 어떻게 해. 폐지 맞고 기절하는 사람은 아가씨밖에 없을걸. 그나저나 괜찮아? 이마에 상처가 났네, 쯧쯧."

"상처가 났어요? 아이씨."

손으로 이마를 만지니 조그마한 긁힘이 만져졌다.

"이 정도는 괜찮아요."

"그래도 여자 얼굴에 상처라니 좀 그렇잖아. 할망구 그거 고약해서 원."

"할머니는 괜찮으세요?"

"나는 멀쩡하지. 아이구 예전에 영감한테 두들겨 맞던 걸 생각하면 멀쩡한 거야."

"할머니, 맞으셨어요?"

"아무한테도 말하지 말어. 우리 영감이 어찌나 때렸는지. 나, 여기 도망쳐 온 거야."

가영 할머니는 검지손가락을 입 앞에 갖다 대었다. 할머니의 비밀을 알게 되어 은밀하게 기쁜 마음이 들었다. 일전에 옥분 할머니도 역시 나에게 비밀을 들려주었기 때문이었다. 만약에 좋은 기회만 생긴다면 두 분이 화해하실 수 있는 접점이 생기지 않을까 생각되었다. 그사이 가영 할머니는 생달걀을 가져오셨다. 긁히고 멍든 이마에 문질러 주며, 새끼 새를 바라보는 어미 새의 표정을 지었다. 나는 그런 그녀의 표정에 피식 웃고 말았다.

옥분 할머니가 단지 앞에서 폐지를 줍는데 가영 할머니가 다가왔다. 가영 할머니는 자신이 모아둔 폐지를 왜 담아가느냐고 화를 내었다. 나는 편의점 알바를 끝내고 집에 가는 중에 그들을 마주했다. 나는 편의점에서 가져온 요구르트에 빨대를 꽂았다. 그리곤 가영 할머니와 옥분 할머니에게 각각 나누어주었다. 그리고 손에 덜렁덜렁 들고나온 비닐봉지를 내밀었다.

"정확히 열 개예요. 다섯 개씩 나누어 가지세요."

아이고 아가씨 미안해서 어떡해, 라며 가영 할머니가 웃는 얼굴로 말했다.

"이렇게 재활용품을 줍는데 주인이 어딨겠어요. 다 누가 쓰다 버린 걸 줍는 거잖아요. 차라리 요일을 정해서 구역을 정하세요. 월요일에는 가영 할머니가 아파트 단지 뒤쪽을, 옥분 할머니가 아파트 단지 앞쪽을 맡으시고요. 화요일에는 반대로 하시고요. 그렇게 하시면 조금 덜 다투시지 않을까요?"

할머니 두 분은 고개를 끄덕거렸다. 나는 내가 흡사 꼬마 아이들을 말리는 선생님이 된 것 같은 기분이 들었다. 여름의 습

한 바람이 달콤하게 몰려왔다. 할머니들이 잡고 있는 폐지들이 눅눅해졌는지 휘어져 있었다. 요구르트를 마시는 할머니들의 두 볼이 앙상하게 쪼그라들었다. 나는 빈 요구르트병을 받고서 할머니들의 싸움이 휴전으로 돌입하였음을 직감했다. 나는 각자의 구역이 줄어든 대신, 부족한 부분은 내가 빈 병이나 캔 따위를 가져다줌으로써 마무리하기로 했다. 할머니들은 마치 솔로몬의 판결이 난 것처럼 고개를 끄덕였다. 나는 동시에 두 분이 웃는 모습을 처음 보았다.

더위를 이기지 못하고 바깥으로 나왔다. 아파트 귀퉁이에 위치한 정자에 가서 맥주나 한잔할 참이었다. 한데 이미 정자에 앉아 있는 두 그림자를 발견하고 어둠 속에 숨어 버리고 말았다. 두 명의 실루엣은 한참 익숙한 자들의 것이었다.

"고 아가씨가 참 똑 부러진단 말이지. 우리 같은 늙은이들이 생각하지도 못한 것을 아주 지혜롭게 풀어내고 말이야."

"그렇다니까. 그 뭐시냐, 공무원을 준비한다던데 딱 봐도 공무원 감이잖어."

"그나저나 그 험악한 세월을 어떻게 보내왔대. 난 상상도 할 수 없어. 어떻게 아저씨가 안사람을 때려. 여기저기 꿰맬 만큼."

"그러니까 살려고 도망 나왔지. 자기도 만만치 않잖아. 둘째 부인으로 들어가서 얼마나 눈치를 봤겠어."

"혹독한 인생살이였어. 그래서 힘들게 살아온 만큼 베풀고 그래야 했는데……."

나는 손에 쥐어 든 맥주가 미지근해지는 것을 느꼈다. 그들이 한순간에 벽을 헐어내기까지는 분명 그들의 인생만큼의 산이 있었을 것이다. 나는 폐지를 줍는 데에 싸움이 벌어졌다는 게, 서로의 영역을 침범했다는 것임을 알고 있었다. 고로 나의 판단이 백 퍼센트 들어맞는 게 현명한 답이 아닌, 그들 스스로 해결해야만 하는 타인과 맞닿은 인생의 경계선임을 알았다. 다만 그들이 그것을 알아채기까지 충분히 기다려야 했다. 노인들의 싸움이란 그런 것이다.

나는 아직도 멀찌감치 떨어져서 그들을 바라본다. 뜨거운 것이 속에서부터 올라오는데, 그게 마음에서 비롯된 것인지 아니면 여름의 더위에 비롯된 것인지 알 턱이 없다. 눅진한 폐지의 귀퉁이가 문득 떠올랐다. 장마가 물러가고 있었다.

바나나우유에 빨대를 꽂은 날

엄마는 상처투성이였다. 언제부터 그랬는지 정확히는 알 수 없지만 내 기억에는 꽤 오래전부터 상처를 간직하고 살았던 것 같다. 상처라는 게 마음의 상처라는 비유적 표현도 있겠지마는 엄마의 것은 표면적으로 드러난, 멍이나 긁힘같이 실재하는 것이었다.

"좋은 것만 봐라."

그녀는 걷어붙인 소매를 내리면서 말했다. 본인의 몸을 보고 있는 시선이 느껴질 때면 늘 좋은 것만 보라고 말했다. 좋은 것이 뭔지 잘 모르겠으나 여하튼 그녀가 가지고 있는 것들은 좋은 게 아닌 것만은 분명했다. 그렇지 않으면 나를 볼 때마다 자꾸만 뭔가 감추는 시늉을 한다든지 등을 돌린다든지 황급히 시선을 피한다든지 하는 행동들을 절대 하지 않았을 것이다. 엄마의 상처는 내가 깊이 잠드는 저녁에 생겨났다. 어렴풋이 찢어지는 목소리를 들었던 것도 같다.

그래도 그녀의 몸은 내가 잘 알았다. 생전 목욕탕에 가지 않던 그녀가 그날따라 목욕탕을 가자면서 샴푸와 비누 따위를 바구니에 담았다. 나는 목욕탕이란 곳을 가본 적이 없던 탓에 무척 흥분했다. 향긋한 냄새들이 엇갈리는 그곳에서 나는 처음으로 바나나우유에 빨대를 꽂아 봤다. 그녀가 옷을 벗었을 때 울긋불긋한 멍들이 몸 여기저기를 알록달록하게 물들였다.

그녀는 내 손을 잡고 탕 안으로 들어갔다. 우리를 보고 수군거리는 아주머니들 몇몇이 있었다. 그녀는 개의치 않아 하는 눈치였다. 나는 그녀의 의연함이 좋았다. 그녀와 자주 목욕탕을

왔으면 좋겠다고 생각했다. 엄마 자신의 상처에 대해서 스스로 관대해질 수만 있다면, 나는 좋았다.

관대함은 어느 만큼의 인내심을 요구하는 걸까? 좋은 것만 보라는 그녀의 말이 자꾸만 떠오른다. 관대함은 과연 좋은 것일까? 그녀는 왜 그 사람 앞에서도 관대해야 했을까? 관대함은 그녀의 인내심을 시험하기에 좋았다.

읽고 있던 소설책을 내려놓고 옆에 쌓여 있던 문제집 중 아무거나 하나를 꺼내 펼쳤다.

"좋은 것만 봐라."

뒤를 돌아보지 않아도 그 사람의 눈총이 느껴졌다. 고등학교 2학년 수능 대비 특강, 최신 5개년 풀이. 내용이 눈에 들어올 리 만무하다. 코사인이 어쩌고 사인이 어쩌고. 그런 것들이 인생의 뭐에 좋은 것이 될는지 알 수 없었다. 다만 내가 엄마처럼 상처를 입지 않은 것에 다행이라고 해야 할까. 아니면 그녀가 홀연히 사라져 버린 것이 다행이라고 해야 할까. 실은 목욕탕에 갔던 그녀 역시 자신의 상처에 관대하지 않았다. 그렇지만 좋은 것만 보라며 몸을 가리던 손길은, 대체 무엇을 봐야 옳은 것인지를 가늠할 수 없이 나를 헷갈리게 했다.

그녀는 내가 처음으로 바나나우유에 빨대를 꽂은 그날, 사라졌다. 세간살이들은 그대로 남아 있었다. 그녀는 자신의 상처만을 안고서 사라져 버렸다.

어쩌면 그것이 그녀가 내린 관대함의 끝일지도 모르겠다.

나는 그녀와 같이 상처가 있은 있었던 적은 없다. 이것은 그 사람의 관대함이었다. 그렇지만 그녀가 새겨둔 상처는 온몸 구석구석에 남아 있다. 나는 무언의 비명을 지른다. 문제집 몇 권으로도 풀리지 않을 그녀의 상처에 관하여 비명을 지른다. 그녀가 떠나고 남겨진 일들 가운데 상처에 관한 것은 영혼에 새겨진 흉터이다.

좋은 것만 보라는 말은 나를 혼란스럽게 만든다. 떠나지 못

한 그녀의 상처가 나에게는 차라리 좋은 것이었을지도 모른다. 그러나 그녀 자신의 행복을 위해서라면 결코 좋은 것이 아니었을 것이다.

뛰어, 도망쳐.

상처는 소리쳤을 것이다. 그녀의 상처는 오늘의 나에게도 유효한 소리를 내지른다.

좋은 것만 보고 싶다. 멍이 들거나 긁히거나 찢긴 피부가 아니라. 그녀의 팔에 하얀 새살이 돋고 붉은 혈기가 건강하게 도는 그런 모습을 보고 싶다. 좋은 것, 그런 것은 더 이상 존재하지 않음을 나는 알고 있지만, 한편으로는 정말로 있는 것이라고 순진하게 믿고 싶다.

나는 그녀가 좋은 모습으로 돌아오기만을 그저 기다릴 뿐이다. 관대함으로.

나비야

나비는 그릇 바닥을 샅샅이 핥았다. 스테인리스 그릇이 덜그럭덜그럭 소리를 내기가 무섭게 나비의 콧잔등 앞으로 황갈색 사료가 우르르 떨어졌다.

"아이고. 불쌍한 년. 천천히 묵으라. 체한 데이."

나비의 밥그릇에 사료를 붓던 할머니는 측은한 눈빛으로 나비를 바라봤다. 허겁지겁 먹는 나비의 입, 씰룩이는 콧잔등, 들썩이는 등허리, 불룩해진 아랫배까지. 그녀의 시선이 닿는 곳곳마다 나비를 향한 애정이 깃들어 있었다. 나비는 그릇 위로 수북이 쌓인 사료를 게걸스럽게 다 먹어 치우고는 할머니의 손아귀에 등을 살살 비비기 시작했다. 그릉그릉. 임신한 암컷에게 친절을 베푼 이를 향한 존경의 표시였다.

"안아, 더 무그라. 더 무야지 니 배에 있는 얼라들이 통통해져서 나올거 아이가."

할머니는 빈 그릇에 사료를 한 바가지 더 부어주었지만, 나비는 그릉그릉거리며 할머니의 손등에 보드랍게 몸을 비벼댈 뿐이었다. 나비의 축 처진 아랫배는 이제 곧 출산 시기가 다가오고 있음을 한껏 보여주고 있었다. 가끔 뱃속에서 다투는 녀석들이 있는지, 사료를 집어먹던 나비가 울컥하는 기운을 내뱉기도 하였다. 이제는 세상의 빛을 보게 될 때가 다가와서인지 그런 기류는 쏙 들어가고, 하루에 사료 한 포대를 다 먹어 치울 정도로 식욕이 왕성해졌다.

나비는 동네 길고양이었다. 할머니는 올해 초 겨울, 혹한기에 꽝꽝 얼어붙은 골목길에서 까만 팽이 새끼가 튀어나오는 바람에 뒤로 훌러덩 넘어져 버리는 사고를 겪고는 고양이라는 존재를 퍽 두려워하였다. 그때 그 사고만 아니었어도 엉치뼈에 금이 가서 여지껏 아이고 아이고 하고 앓는 소리 따위는 안 내셨을 텐데 말이다. 그날 이후 한낮의 시간에도 대범하게 음식물쓰레기 봉투를 찢어 뒤지는 놈들에게도, 그때 생각에 부아가 치민다며 쌍욕을 퍼붓는 게 바로 우리 할머니였다. 가끔은 지팡이를 마구 휘두르는 바람에 고양이들이 깜짝 놀라 우당탕탕 도망치는 경우도 있었다. 저 쌍놈의 새끼들이 어쩌구 저쩌구 하며 동네가 떠나가라 소리를 지르다 보니, 모르는 노인네인 척 놔두고 잰걸음으로 집에 온 적도 있더랬다.

　길고양이만 보면 못 잡아 먹어서 안달 나던, 완고하고 무자비한 늙은이. 그런 할머니에게도 어떤 심경의 변화가 생겼는지 어느 날 나에게 돈을 좀 달라고 손을 내밀었다.

　"돈 좀 주구마."

　"왜요?"

　"왜는 콱 마. 어른이 달라고 하면 주는 기제. 뭘 그래 따져 쌌노."

　한번만 더 이유를 물으면 할머니의 지팡이가 응징할 것만 같아, 핸드백에서 지갑을 꺼냈다. 지갑에서 여러 장의 만원들 중 한 장을 꺼내려다가,

　"야야. 팽이 새끼들 사룟값이 얼마노?"

"예? 고양이 사료요? 왜요?"

"어른이 물으면 '예 얼마입니다' 해야지 뭔 질문이 많아 쌌노."

"대충 만 얼마 정도 할걸요? 근데 그건 왜요?"

"알 거 없다."

알 거 없다고 딱 잘라 말하던 할머니는 멋대로 내 지갑 속에서 이만 원을 덥썩 집어 당신의 손바닥 안에 꼬깃꼬깃 접어 넣었다. 대체 무슨 꿍꿍이인가 싶긴 했지만, 아무리 괴팍한 노인네라도 길고양이를 함부로 죽이거나 해코지할 정도로 정 없는 사람은 아닌 것을 알기에 더는 묻지 않았다.

그날 저녁, 야근을 마치고 막차 버스에서 내렸다. 월요일부터 야근이라니. 여기에 쌩쌩 부는 초겨울의 칼바람은 인생을 더욱 고달프게 하는 맛을 더해주었다. 장렬한 전투 끝에 터덜터덜. 이제 전봇대를 끼고 오른쪽으로 돌아가면 우리집이 나올 터였다.

야옹.

어디에선가 고양이 소리가 들렸다. 이윽고, 또 하나의 소리가 들려왔다.

"많이 묵으라. 그래야 새끼도 잘 낳고 하제."

익숙한 노인의 목소리였다. 어, 하며 전봇대 뒤를 빗겨보니 우리 할머니였다. 할머니는 검정색과 흰색이 얼룩덜룩 섞인 고양이 한 마리에게 사료를 먹여주고 있었다. 그 옆에는 밑둥이 터진 음식물쓰레기 봉지가 쓰러져 있었다.

"쓰레기를 와 묵노. 얼라 가진 놈이. 좋은 걸 묵으야지 좋은 아를 낳을 거 아이가."

넉살도 좋게 할머니는 집에서 국그릇으로 쓰던 스테인리스 그릇에다가 사료를 잔뜩 부어주고 있었다. 아, 그럼 지갑에서 빼간 이만 원이.

"할머니, 뭐 하세요?"

"응. 왔나."

할머니는 여전히 그 검백색 고양이에게 눈을 떼지도 않고 대답을 이어갔다.

"아이고메. 야야. 여 보그라. 배가 불룩하제? 새끼 뱄다 안

카나. 새끼는 뺐는데 안에서 엄마 영양분을 쪽쪽 빨아 먹으니 요래 빼짝 곯아가지고 참말로……. 내가 팽이 새끼가 싫다캐도 이래 아를 밴 팽이 새끼는 그냥 못 둔다."

"언제부터 이 고양이 본 거예요?"

"며칠 안 됐다. 집 앞에 요래요래 돌아다니는 팽이 새끼들이 있어서 내가 몽둥이를 휘둘러재끼는데, 야는 안가데? 그래서 자세히 보니까는 밑이 불룩한기라. 새끼밴기다. 아무리 미물이지만서도 제 새끼를 뺐다 카는데 내가 인간된 도리로써 우째 매정시리 쫓아내버리노. 뭐라도 해묵여야지. 처음에는 미역국 말아주고 놓고 갔는데 금방 식는기라. 찬 거 묵으면 애 떨어진데이. 그래서 요 앞에 동물병원 가갖고 일하는 아가씨한테 젤 좋은 팽이 새끼 사료 달라고 했지. 근데 참말로 비싸데. 이만 원이 뭐꼬. 땅을 파봐라 10원이 나오나."

할머니의 변명에 웃음이 피식하고 나왔지만, 그래도 '새끼 밴 고양이'를 지켜주겠다는 다른 종류의 모성이 참 따사로웠다. 고양이가 사료를 다 먹고 입을 혀로 싹 훑을 때까지 우리는 자리에 쪼그리고 앉아서 함께 고양이를 내려다보았다. 그때마다 할머니는 우리 나비 아따 잘 묵는다. 하이고 이쁘게 잘 묵네, 라는 추임새를 넣었다.

"나비는 또 뭐예요?"

"팽이 새끼가 이름이 뭐 필요하노. 그냥 나비라고 부르면 나비인 거지. 길에서 사는 놈들은 다 나비다. 나비처럼 요래조래 돌아다니면서 사니까는."

할머니는 나비의 날갯짓을 흉내냈다. 그러거나 말거나 나비는 밥그릇에 머리를 쳐박고 고개를 들 생각도 하지 않았다. 달그락달그락. 나비는 열심히 밥그릇을 핥고 있었다.

이후로 나는 날마다 출근하기 전에 할머니의 방에 슬며시 들어가 할머니의 앉은뱅이책상 위에 이만 원씩 올려놓고 나갔다. 돌아와서 슬쩍 할머니 방을 열어보면 이만 원이 있던 자리는 비어있고, 대신에 동물병원용 사료의 빈 봉투가 올려져 있었다.

"나비야, 나비야."

여전히 별 보고 나가서 별 보고 들어오는 퇴근길, 할머니가 전봇대 근처에서 나비를 애타게 찾는 모습이 보였다

"뭐하세요 할머니?"

"왔나. 나비가 안 온다. 어제까지는 왔었는데……. 아를 낳았나? 이 추운데 길바닥에서 아 낳다가 뒤집어지는 거 아이가?"

그녀는 전에 본 적 없는 걱정스러운 표정으로 발을 동동 굴렸다. 나는 할머니와 함께 골목골목을 뒤지며 나비를 불렀다. 나비야, 나비야. 나비는 고요했고 밤은 깊어졌다. 할머니의 눈에 물기가 비치는 듯하자 그녀의 손을 꼭 잡아드렸다. 할머니 눈은 뜨끈해진 것 같은데 잡은 두 손은 점점 더 차가워지고 있었다. 이 이상으로 무리하면 병이 나실 것만 같아서 하는 수 없이 집으로 들어갔다. 할머니는 대문을 열면서도 계속 뒤를 쳐다보았다. 아직 돌아오지 않은 나비를 훑는 듯이.

두 달 후, 검은 상복을 입은 친척분들이 우리집 대문을 열었다 닫았다 했다. 집안에서는 곡소리와 함께 요단강 건너가 만나자는 찬송가가 내내 울렸다. 며칠 뒤에는 몇몇 장정들이 나무로 짠 관을 들어 검은 차에 실었다. 할머니는 검은 차와 함께 떠났다.

야옹.

야옹? 낯익은 고양이의 목소리에 반사적으로 소리가 나는 쪽으로 고개를 돌렸다. 소리의 출처는 집으로 돌아오는 길모퉁

이, 그 전봇대 아래에서였다. 할머니가 나비에게 항상 사료를 주던 바로 그 자리. 검백색 고양이가 노래를 불렀다. 목소리의 주인공은 바로 나비였다!

"나비야!"

"니야앙."

나비가 구슬프게 목소리를 뺐다. 나비의 앞에는 빈 스테인리스 그릇이 놓여 있었다. 나비는 빈그릇 앞에서 몇 번이고 야옹야옹 댔다. 나는 얼른 집 안으로 들어가 할머니의 방문을 열었다. 다행히 한 그릇쯤은 나올 법한 양의 사료가 남아 있었다. 사료 봉투째로 들고나왔는데, 나비는 여전히 거기에 있었다. 나비의 그릇에 사료를 부어주었다. 후드득. 사료 그릇이 채워지는 소리가 짤랑짤랑대고 나니까, 갑자기 대 여섯 마리의 어린 나비들이 기어 나왔다. 나비는 몇 알 먹던 입을 거두고 나머지 사료를 어린 나비들에게 양보했다. 꼬물거리는 어린 나비들의 귀여움에 푹 빠져 있는 동안 엄마 나비의 모습이 참으로 신기했다. 할머니도 이런 나비의 모습을 보고 싶으셨을 텐데.

나비들은 배가 빵빵해질 정도로 흡족하게 밥그릇을 비웠다. 그러고는 미련 없이 휙 돌아섰다. 다만, 엄마 나비는 걷다가 잠깐 멈춰서서 이쪽을 돌아봤다. 나비는 몇 초 정도 나를 지긋이 쳐다봤다. 내가 고양이 언어를 할 수만 있다면 무슨 말이라도 할 수 있었을 듯한데. 나비가 하려던 말이 무엇이었을까. 나비와 눈을 마주치는 동안 묘한 환상이 보였다. 그의 하늘색 눈동자 속에서 나비 한 마리가 날갯짓을 하고 있었다. 할머니가 평

소 자주 입으시던 몸뻬 바지와 비슷한 꽃분홍 날개를 가진 나
비가.

　나비들은 그들만의 세상으로 흩어졌다. 더는 우리집 주변을
서성거리지도 않고 울음소리를 내지도 않는다. 이제 다시는 볼
수 없지만, 그들의 삶은 우리 할머니의 따뜻함으로 오래오래 이
어질 것이다. 부디 할머니가 나비네를 잘 돌보아 주시기를.

　그러면서 나는 할머니의 앉은뱅이책상 위에 이만 원을 올
려 두었다.

압정게임

나는 아홉 살이지만 알고 있다.

세상에는 악마의 껍질을 입은 사람이 존재한다는 것을. 더군다나 그들은 항상 내 주변을 배회하고 있다는 걸 말이다. 뉴스만 보더라도 유쾌한 소식은커녕 기분을 잡치게 만드는 일들이 허다하지 않은가.

그중에서도 놈은 최상위권의 악에 사로잡힌 인간이었다. 놈의 행실로 눈물을 흘린 반 아이들만 해도 전체 인원 중 절반은 넘을 것이다. 놈. 그에게는 굳이 이름을 붙여 호칭할 필요가 없다. 놈은 2인분의 책상 한가운데를 매직으로 찌익 갈라놓았다. 검은색 금이 그어진 곳에는 울퉁불퉁한 압정을 거꾸로 심어 놓았다. 그러니까 책상 서랍 속에서부터 압정을 푹 찍어 올려 뾰족한 심이 바깥으로 나오게끔 했다. 놈은 경계를 넘어서는 자에게 상당한 응징을 맛보게 해주려는 심산이었다.

그뿐만 아니라 놈은 압정을 제법 잘 활용할 수 있는 사람이었다. 놈이 소지하고 있는 압정은 책상에 꽂힌 것만이 아니었다. 놈은 늘 압정이나 못, 핀 등등 날카로운 무기를 가지고 다니면서 사람들을 공격하는 것을 즐겼다. 하지만 아이들은 그에게 저항할 수 없었다. 그는 전교에서 알아주는 *싸움꾼*이었다. 얼마 전까지만 해도 싸움 순위가 2위에 불과했지만, 1위의 영광을 탈환한, 희대의 공포 그 자체였다. 우리는 세상의 공격에도 불구하고 저항도 하지 못한 채 수동적으로 살아가는 어른의 과거와도 같았다. 화장실 벽면에 무기력하게 붙어있는 나방. 그런 것들이었다.

그날도 똑같은 패배가 있었다. 주기적으로 자리를 바꾸는 날이었다. 반장과 부반장은 1부터 끝 번호까지 쓰인 쪽지를 뽑기 주머니에 넣어 마구 섞었다. 1, 2, 3, 4……. 지루한 순간이 지나가고 내 차례가 왔다. 나는 최대한 창가 쪽에 붙어 졸음을 청하고 싶었다. 지금 앉아 있는 맨 앞자리는 선생님의 얼굴을 지나치게 가까이 볼뿐더러, 입 냄새가 나는 침방울을 맞아야 하는 곤욕스러운 자리이기 때문이다. 나는 떨리는 손으로 주머니에 손을 넣었다. 구깃구깃한 쪽지를 펼치니 "23"이라는 애매한 숫자가 쓰여 있었다.

망했다.

이런 숫자는 창가가 아니라 중간 자리에 앉아야 할 게 뻔했다. 아이들의 뽑기가 다 끝나자 짐을 챙겨 자리를 이동하기 시작했다.

어? 근데…… 뭔가가 이상했다. 원래대로라면 중간 자리여야 하는데 나는 2분단의 끄트머리 자리에 위치하게 되었다. 제기랄! 이 자리는 늘 졸다가 걸리는 자리다. 게다가 놈, 그놈이 내 옆자리로 슬금슬금 가고 있었다. 나도 모르게 침이 꼴깍 넘어갔다. 이마에 땀이 흘러 구레나룻으로 떨어지는 것이 느껴졌다. 시간이 느리게 흐르는 것만 같았다. 국어 시간에 이것을 촙발이라고 했는지 촉발이라고 했는지 기억이 잘 나지 않지만, 여하튼 내 불행의 시작이 촉발된 것만은 분명했다.

"내 옆자리는 꼬붕 자리야. 알지?"

놈은 비열하게 히죽거렸다. 나는 대답 대신 고개를 휙 돌렸다. 싸우기도 싫고 대꾸도 하기 싫은 무언의 수동적 공격인 셈이다. 놈은 여러 번 말을 건넸다. 일일이 답하지 않았다. 응, 그래, 정도의 시큰둥한 반응을 보였다.

그러자 기분이 나빴는지 주머니를 뒤져 압정 하나를 꺼낸 뒤 내 팔을 쿡쿡 쑤시기 시작했다. 나도 가만히 있지 않고 손으로 압정을 밀어냈다. 자꾸만 몸이 반대로 기울어지며 금세 넘어질 것만 같았다. 그런데 놈은 악마 같은 웃음을 짓고는 가만히 있으라며 낮게 속삭였다. 지금은 수업 시간이니까. 수업 시간인데 정작 내 수업권은 박탈된 채, 놈의 유희만을 위해 이용되고 있었다. 내 팔은 쿡쿡 찔린 압정에 의해 구멍이 송송 나버렸다. 놈은 압정으로 나를 압박하는, 압정 게임을 하고 있음이 틀림없었다.

그로부터 다음 날도, 또 다른 날도 녀석은 끊임없이 압정 게임을 즐겼다. 나는 찔린 부위가 간지러워 견딜 수가 없었다. 날이 갈수록 수위가 점점 커지는 것을 느꼈다. 놈은 압정, 핀, 못 등 각종 날카로운 것들로 나를 자극해 갔다. 그럴 때마다 내 안에서 불같은 것이 들끓었다.

네까짓 게 싸움만 아니면 아무것도 아닌 주제에.

나는 말을 삼키며 나약한 나를 탓했다. 나를 탓할 것이 아니었는데도 내가 약한 것은 충분히 탓할만했다. 그렇지만 나는 쓰러지지 않았다. 언젠가는 나도…… 라는 생각이 하루에도 백 번씩은 오갔다.

인간은 싫어하는 것을 억지로 참는 존재가 아니다.

내가 이것을 깨달았을 때는 잠깐 화장실에 다녀온 사이, 내 가방에 수십 개의 압정이 꽂혀 있는 것을 목격했을 때다. 그뿐 아니라 내 필통은 고슴도치처럼 만들어져 있었고 교과서는 찢어져 있었다. 그리고 놈은, 옆자리에서 낄낄대며 웃고 있었다. 나는 내 안에서 무엇인가가 뚝 끊어지는 것을 느꼈다.

나는 성큼성큼 달려가 놈의 주머니를 뒤졌다. 그 속에 담긴 몇 개 안 남은 압정들, 그것을 교실 창밖으로 멀리 던져 버렸다.

"너 이 새끼!"

놈은 사악한 얼굴로 다가와 얼굴에 주먹을 내리꽂았다. 뒤로 벌러덩 자빠진 내 위로 올라타 마구잡이로 주먹질을 했다. 히익, 하는 새된 음성이 내 고막에 압정처럼 꽂히는 듯했다. 나는 있는 힘껏 저항을 해봤지만 소용없었다. 놈이 우리 중에서 싸움을 가장 잘하는 사람이니까 말이다. 보다 못한 몇몇 아이들이 몰려와 싸움을 말렸지만, 그들의 얼굴에도 날카로운 주먹이 뻗쳤다. 놈의 타격이 압정보다 더 깊게 꽂혔다. 놈은 성이 풀리지 않았는지 주머니를 뒤적거렸다. 소용없었다. 내가 이미 다 밖에 던져버렸으니까.

입에서 비릿한 맛이 났지만, 놈이 허둥대는 꼴을 보니 우스워서 견딜 수 없었다. 그러다 놈이 말했다.

"찾았다."

놈은 유쾌한 음성을 지르는 동시에, 내 책상 위에 고슴도치가 된 필통으로 시선을 쏟았다. 놈은 웃고 있었다. 그러고는 새로운 압정 하나를 뽑아 들었다. 이럴 수가. 악마란 정말 존재하는 것이구나.

놈은 압정을 손에 쥐고 서서히 다가왔다. 뒷걸음질을 한 걸음, 두 걸음, 세 걸음 하다가 결국 벽에 다다랐다. 놈은 압정을 들고 내 눈으로 천천히 들이밀었다. 나는 압정의 끝 축과 동시에 주변의 풍경들을 볼 수 있었다. 아까 전까지만 해도 놈을 말리던 몇몇 녀석들은 안타까운 눈으로 쳐다만 볼 뿐 더 이상 개입하지 않으려는 의지가 뚜렷하게 보였다. 또 다른 녀석들은 고개를 푹 숙인 채 책상 위에 놓인 책만을 보는 척하고 있었다.

이것이 인간이었다. 그렇다. 내가 본 세상은 이러하다. 나는 마지막으로 보게 된 이 세상을 꼭 기억하며 살 것이다. 다만 악마로는 살지 않을 것이다. 내게 조금의 선(善)이 있으니까. 선. 그것은 정말 존재하는 것일까? 이 교실, 이 상황에서도 존재하는 것일까? 만약 그것이 있다면 나는 왜 이런 상황에 놓인 것일까? 나는 여러 갈래로 원망을 토해냈다. 이제 놈은 내 눈알을 완전히 꽂아버릴 지경까지 다다랐다. 세상을 볼 수 있는 시간은 3초 남짓한 것이다. 안녕, 세상아. 그때, 문이 열리며 쿵 소리가 났다.

"이 악마 같은 놈!"

생경한 어른의 목소리가 들렸다. 이윽고 바닥으로 또르르 굴러가는 철제 소모품의 소리가 들렸다.

아야.

교무실로 따라와.

너 가만히 안 둬.

온갖 소리가 공간을 메웠다. 하얀 손이 다가와 놈의 귀를 잡아당기는 게 보였다. 놈은 우리들의 우두머리이자 고문관에서, 이제는 지옥으로 떨어진 영혼이 되어 버렸다. 악마는 지옥으로 가는 것이 옳다. 악마 같은 놈이 교무실이라는 지옥으로 끌려가는 중에도 놈의 눈은 나에게서 떨어질 생각을 하지 않았다. 귀가 찢어지는 고통을 느끼면서도 놈의 시선은 여전히 내게로 향했다. 다른 이들의 팔다리가 압정으로 인해 찢어지는 고통을 느끼고 있었을 때도, 그들의 원망은 놈에게 향하고 있었을 텐데 말이다. 두고 보자는 메아리 같은 눈빛. 이런 시선에서 내 눈알은 이미 뚫려버린 것만 같았다.

왜 학교에 안 가니.

학교에서 무슨 일 있니.

그래도 밥은 먹어야지.

엄마의 목소리가 거친 노크 소리를 넘어 들려온다. 나는 압정 게임에서 명백한 승자가 되었다. 그렇지만 다시는 학교에 가지 않을 것이다. 내가 겁쟁이라서 그런 것이 아니다. 놈과 나의 책상 사이에 심어진 압정이 이전보다 많을 텐데, 그것을 견디며 살아가는 것은 꽤 고역스러울 따름일 것이다. 놈은 악마이기 때문에 압정 게임을 멈추지 않을 것이다. 지금 당장은 압정으로 시작한 것이겠지만, 이것은 곧 못이나 칼로 그 단계를 진화해 나갈 것이다. 물론 이것이 새로운 압정 게임을 시작하는 도구로 쓰일 것이다. 그러니 압정 게임, 못 게임, 칼 게임에 동참하지 않으려 학교에 가지 않을 테다. 나는 압정 게임의 희생자나 참

여자가 되고 싶지 않다.

그 사건 이후, 벽에다 녀석의 사진을 붙여두고선 놈의 두 눈에다 압정을 찔러 넣었다. 놈이 내 눈에다가 하려고 했던 것처럼 말이다. 사진을 보면서 녀석이 다시는 나를 볼 수 없다는 생각에, 과연 선이 악을 이겼노라고 쾌재를 불렀다. 놈은 나를 찌르지 못했지만, 나는 사진으로라도 놈을 무찔러 이겼다. 간혹 잠자리에서 눈알이 뚫려버린 것 같은 섬찟함이 몸서리치듯 느껴질 때면, 녀석의 최후가 생각난다. 놈의 압정이 찌른 영혼들의 아픔만큼이나 지독하게 고통스럽고 고독하길 바란다. 그리고 악행 역시 압정으로 고정되어 길이길이 전시되기를. 압정이 있었던 구멍 난 자리는 나를 외면했던 "우리들"의 몸에 난 구멍들로 가득히 메워지기를.

우주 복수 서비스

보내기 예약 임시저장 미리보기 템플릿 ↔내게쓰기

받는사람 : boksu○○○@gmail.com
참조▼ :
제목 : 복수 좀 해주세요!!
파일첨부▲ : 내 PC / 드라이브
바탕체 11t ↕ B I U S T
본문▼ :

안녕하세요, 고객님.
복수대행업체 우주복수입니다.

저희 서비스를 찾아주셔서 감사합니다. 접수된 대로 2월 14일 08시에 복수가 진행될 예정입니다. 선금 3,000,000원도 입금 확인되어 정상적으로 진행하도록 하겠습니다.

추가 옵션 사항에 기재해주신 방법은, 고객님의 신상이 공개될 우려가 있어 조심스럽습니다. 더군다나 복수 대상자의 도주 및 보복의 우려가 있어 복수 대행이 쉽지 않으리라 예상합니다. 재고해주시기를 부탁드리고자 금일 오전 중 유선 연락드렸사오나 여러 차례 받지 않으신 관계로 이렇게 메일을 드립니다.

확인하시는 대로 전화를 주시면 상담원과 내용 확인이 가능합니다. 또한 하기 사항에 영수 내역을 증빙하오니 서비스 이용에 차질이 없으시길 바랍니다.

— 영수 내역 —

사업자 : 우주복수 (0506-****-****)

사업자번호 : 189-00-***** (대표자 : 강복수)

구매일 : 20○○년 02월 03일 03:08

상품명 : 복수 서비스 008호(별도 서비스 포함 : 추가 옵션 참조)

단가 : 3,000,000원(VAT별도)

과세 : 2,727,275원(VAT 272,725원)

—

입금내역 : 20○○년 02월 03일 03:11경(계좌번호 뒤 네 자리 : 5890, 입금인 : 똘이맘)

입금인 정보 : 똘이 엄마

—

요청사항 :

다시는 두 발 뻗고 못 자게 해주세요. 나는 그럴 줄 몰랐어요. 나는 순진하고 멍청한 여자였어요. 처음에는 몰랐죠. 그렇게 배려심 깊고 자상한 남자는 처음 봤으니까요. 그래요. 나는 첫눈에 반했어요. 연애 기간에도 별 탈 없이 무던하게 지나갔어요. 삼 년 정도 뒤에는 결혼했죠. 결혼하고서 얼마 동안은 좀 괜찮았어요. 잠잠했다고 해야 할까요? 사건이 일어난 건 그로부터 십 년 조금 안 되었을 때였어요.

별안간 사라져 버렸어요. 감쪽같이! 하루아침 만에 말이에요. 침대맡에 쪽지가 놓여 있었는데 정말 기가 막혔죠. 저랑 사는 게 견디기가 힘들다고요. 이해하려야 이해할 수가 없었어요. 그러면서 하는 말이 뭔 줄 아세요? 저보고 미신에 미쳐있대요. 미쳐있다뇨? 다 우리가 잘 되길 바랄 뿐인데 말이에요.

미신이요? 그래요. 조금 좋아하는 편이에요. 제가 워낙 팔랑귀거든요. 요전번엔 친구가 소개해 준 장군도령네에 가서 부적을 좀 얻어왔어요. 아이가 잘 들어선다나 뭐라나.

그전에는 시어머니와 함께 신점을 보는 유명한 동자산신집에 가서 굿일을 받아왔어요. 그런데 부적을 왜 써왔냐면, 왜 시어머니께서 아는 분 통해 용하다는 점집을 간 거였는데 들어서는 순간 '아, 속았다'라는 생각이 들더라고요. 아이는커녕 동자귀신도 도망가게 생긴 허름한 집이었어요. 그런 곳이라면 있던 신이 다 달아날 판인 데다가, 손님은 한 시간 내내 우리 한 팀뿐이었다니까요.

아무튼 부적도 써서 그이 옷소매에 기워 놓거나 베갯잇에 꿰매 넣고, 팥물도 달여 마시고 하면서 온갖 정성을 다했죠. 거사 전에 3일은 정결하게 해야 한다는 소리를 듣고 단식을 해야 한다며 성화도 부렸어요. 남편은 쫄쫄 굶은 채로 회사 일을 어떻게 하냐며 짜증을 냈지만 마지못해 따르긴 했죠.

그런데 도망갔어요! 아이가 안 생긴 건 둘째 치고 도망갔다고요! 견딜 수 없다고요. 백방으로 찾아다니려고 사람도 쓰고 심부름센터도 다녔는데 허탕이었어요. 뭐가 문제였는지 아직도 모르겠어요. 동자승의 오줌을 받아 물에 희석해 먹이기도 했고 (이건 확실하대요), 침대 주변에 못도 뿌려놓기도 했어요(잡귀 가 못 들어온대요).

하지만 이건 다른 사람이 하는 일에 비해 반의반도 안 되는 일이라고요. 내가 얼마나 노력했는데! 십 년 동안 이렇게 정성 들였는데도 애가 안 들어선 걸 보면 그이에게 무슨 문제가 있는 게 분명해요. 아니면 집을 나간 거면 어디서 몰래 애 딸린 여자 를 숨겨 놓고 있거나……. 이런 상상은 끔찍하네요! 이따가 시 어머니와 함께 사람을 잘 찾기로 유명한 점집에 가기로 했어요. 미아나 문전걸식하는 실종자 등등 못 찾는 사람이 없다고 하더 라고요.

반드시 3일 안에 찾아낼 테니 복수 008호를 시행해 주셨으 면 좋겠어요. 두 번 다시 도망이라는 건 생각도 하지 못하게 아 주 많이 요절내주세요.

Editor / HTML / TEXT

비비

우리집 거실에는 액자가 있어요. 어떻게 생겼냐면은 무지무지 커다래요. 우리집에 이사 올 때 이삿짐센터 아저씨가 액자를 두 손으로 번쩍 들었는데 아저씨가 옆으로 비껴가면서 이놈아 좀 비켜라, 하고 투덜대길래 올려다보니 하늘이 다 가려지는 거 있죠. 액자가 하늘을 가리니까 온 세상이 전부 깜깜했어요. 마치 꼬박 하루가 지나서 밤이 된 것만 같았어요. 나는 조그맣고 키가 작지만 어른이 되어도 액자가 커다랄 것으로 생각하고 있었어요.

액자는요 테두리가 황금색으로 멋있게 빛이 나요. 거실에 들어오려면 현관에서 신발을 벗고 한 세 발자국쯤 걸어야 하거든요. 그렇게 한 발, 한 발, 한 발. 딱 세 걸음만 걸으면 황금색 액자 앞에 서게 되어요. 또 재밌는 사실을 하나 알려줄게요. 액자 양 귀퉁이마다 파마한 것처럼 뽀글뽀글한 장식이 올록볼록 달려있어요. 그런 것들이 액자를 더 멋있게 만든다는 어른들의 착각이죠. 액자는 액자일 뿐이에요. 진짜 멋있는 것은 그런 것들이 아니라 그 속에 들어있는 사람들의 표정이에요.

김치 치즈 스마일 찰칵. 나는 어색하게 웃었어요. 슬쩍 옆으로 보니까 엄마 아빠는 세상에서 가장 행복한 사람인 것처럼 환하게 웃고 있었어요. 평소에 이렇게 자주 웃어주면 내 마음이 얼마나 따뜻할까요. 아무튼 엄마 아빠가 입을 쫙 벌리고 미소 짓는데, 나는 쭈뼛거리며 망설였어요. 사진사 아저씨가 자아, 이쪽 보고 김치! 라고 여러 번 말했지만 나는 좀처럼 웃지를 못했어요. 엄마 아빠가 그제야 제 얼굴을 들여다보셨는데 왠지 평소와 다른 분위기가 너무 싫고 어색해서 그만 울어버리고 말았어요.

무엇보다도 비비, 내가 가장 사랑하는 강아지와 함께 사진을 찍을 수 없어서 더 속상했어요. 비비는 아주 멋진 개예요. 이름도 유명해요. 레트리버래요. 비비는 황금보다 더 반짝거리는 털을 가졌어요. 비비의 눈은 어두운 밤만큼 새까만데 날 쳐다볼 때는 언제나 깜빡거리는 별 같았어요. 비비의 키는 나보다 조금 더 작아요. 우리는 같이 자랐어요. 비비가 나보다 1살 적지만 덩치는 더 커요. 비비는 나랑 같이 가족이에요.

그런데 가족사진을 찍는데 비비가 없어요. 왜 비비는 가족사진을 찍을 수 없는 거지. 비비도 우리 가족이잖아. 나는 떼를 쓰며 엉엉 울었어요. 그랬구나, 비비가 보고 싶었구나, 울지마 울지마. 엄마는 나를 끌어안으면서 등을 토닥여 주었어요. 비비, 사랑하는 내 동생 비비를 집에 두고서 가족사진을 찍다니요. 비비 없이는 가족사진이 완성되지 못해요. 비비가 있어야 진짜 가족끼리 사진을 찍는 거라니까요.

61

한참을 울고 있으려니까 배가 고팠어요. 엄마 품에 안겨 있
으니까 꼬르륵거리는 소리가 더 크게 들리는 것만 같았어요. 엄
마도 배가 고파서 나랑 똑같은 소리를 내는 걸까요. 내가 엄마
의 어깨를 적시는 사이에 아빠는 사진사 아저씨한테 죄송하지
만, 식사 좀 하고 다시 올게요 라며 겸연쩍게 웃었어요. 그러시
죠 뭐, 시간이 애매하니까요 하고 사진사 아저씨는 나에게 사탕
을 쥐여 주었어요. 나는 사탕을 먹지 않고 호주머니에 넣어 버
렸어요. 그런데 엄마랑 아빠가 무어라 속닥거리는 게 보였어요.
아빠가 인사도 하지 않고 어디론가 휙 나가버렸어요. 사진관에
는 엄마랑 나랑 사진사 아저씨만 남았어요.

엄마는 내 손을 잡고 사진관을 나왔어요. 사진관 옆에는 햄
버거집이 있었는데 우리는 거기에 가서 맛있는 햄버거를 먹었
어요. 오늘은 특별히 콜라를 마셔도 된다고 해서 마음껏 꿀꺽꿀
꺽 마셨지요. 맛있게 햄버거를 먹고 있는데 엄마 핸드폰이 징징
울렸어요. 아빠 전화였어요. 엄마가 전화를 끊더니 다시 사진관
에 가야 할 시간이라고 했어요. 나는 조금 더 시무룩해졌어요.
사진관으로 돌아가는 길이 왜 이리도 멀게 느껴질까요. 우리집
에서 우주까지만큼 멀리멀리 느껴져요.

사진관에 들어갔더니 멍멍하는 소리가 들렸어요. 목소리의
주인공은 바로 비비였어요! 나는 엄마 손을 놓고 부리나케 뛰어
갔어요. 멍멍! 멍멍! 비비의 목을 끌어안고 싱글벙글 웃었어요.
내 동생 비비는 꼬리가 떨어져 나갈 만큼 세차게 흔들어 댔어
요. 비비는 제 얼굴을 할짝거렸어요. 얼굴이 온통 침 범벅이 되

었지만 괜찮았어요. 비비니까요.

　이제 다 되었어요. 우리는 사진을 찍었어요. 엄마, 아빠, 나, 그리고 비비까지도요! 비비가 함께 해야 진짜 우리 가족 사진이 되는 거예요. 며칠 후에 집으로 커다란 액자가 왔어요. 엄마 아빠가 액자를 감싸던 비닐을 벗겨내니까 세상에서 제일 멋있는 가족사진이 나타났어요. 엄마 아빠는 더 밝게 웃고 있었고, 내 뒤에 서 계셨어요. 나는 비비를 내 무릎에 앉히고 있고, 비비는 개구쟁이 같은 표정으로 혓바닥을 다 드러내며 웃고 있었어요. 정말이지 세상에서 우리 가족이 제일 행복해 보였어요.

액자는 아직도 거실에 걸려 있어요. 이제는 현관에서 세 발자국까지 걸을 필요가 없어요. 구두를 벗으면 한걸음에 도착할 수 있거든요. 아직 문밖에서 또각또각 소리 나는 구두 소리가 들려올 때쯤이면 비비가 달려왔었어요. 현관문을 열면 비비가 와락 안기려 뛰어들었어요. 비비는 여전히 개구쟁이였어요. 사진관에서 본 그 개구쟁이 모습 말이에요. 나는 비비를 올려다보곤 했는데, 어느 순간부터 비비보다 키가 더 커져서 비비를 아래로 내려다보게 되었어요.

예전보다는 액자 테두리의 황금색이 조금 덜 빛나는 것 같아요. 이걸 세월이 흘렀다고 말한대요. 그렇지만 비비는 액자 속에서 액자보다 더 빛나는 웃음을 짓고 있어요. 비비가 이때만큼이나 지금도 웃고 있더라면 얼마나 좋을까요. 액자가 걸려 있는 벽 밑에는 비비의 밥그릇이 놓여있던 흔적이 하얗게 남아 있어요. 거실 바닥은 때가 타서 조금 누렇거나 까맣거나 그런데, 비비의 밥그릇과 물그릇이 있었던 자리만은 새하얗게 남아 있어요.

마음이 쓸쓸해질 때면 액자를 봐요. 액자 속에 들어 있는 우리 가족 사진을 봐요. 우리들은 비비와 함께라서 아주 즐거운 표정을 짓고 있어요. 비비도 사진 속에 남아서 웃고 있어요. 액자 속에 들어있는 내 동생은 여전히 기쁘고 즐거워 보여요. 나는 조금 쓸쓸해지는데 비비는 즐거운 표정이에요. 비비는 액자 속에 들어 있어요. 비비는 사랑스러운 우리 가족이예요. 다음에 우리랑 같이 산책을 나갈 거예요. 거기서는 다리를 절뚝거리거나 아프다고 끙끙거리거나 아니면 차가운 도자기에 담아지거나 엉엉 울어버리거나 그리고 이렇게 서글퍼지는 날이 없을 거예요. 우리는 다시 만날 거예요. 그때도 가족사진을 찍을 거예요. 비비는 씩씩한 모습으로 달려올 거예요. 나는 믿어요. 비비와 사진을 찍을 수 있으리라 믿어요.

액자 속에는 내 동생 비비가 있어요.

나는 먹을 수 없는 존재입니다

나는 먹을 수 없는 존재입니다. 누가 감히 나를 먹을 수 있 겠습니까? 나는 마땅찮은 표정으로 그들을 경멸했지만, 그들은 나의 시선 따위에 아랑곳하지 않았습니다. 내가 구워지고 튀겨 진 존재라 한들 함부로 나를 치아 사이에 넣고 으스러뜨릴 수 있단 말입니까? 나는 온종일 패배감에 휩싸여 도통 잠을 이룰 수 없었습니다. 나는 그런 존재가 아니란 말입니다.

당신이 잘 알고 있듯 나는 식품의 존재로 세상에 알려졌습 니다. 정확히는 식품의 식품을 쌓아 올린 하나의 물체이지요. 여기, 유물론자가 있습니까? 그렇다면 그는 승리한 이론가입니 다. 나의 존재를 정확히 짚었기 때문입니다. 나를 뭐라 칭해야 좋을까……. 나를 칭하는 단어는 무수히 많고도 그것이 정확하 게 나를 호칭하지는 않아서 매우 곤란합니다.

그래요. 그럴까요? 과자집.

나는 여러 개의 과자로 만들어진 집 형태의 존재입니다. 짧 게 과자집이라고 불러주시죠. 당신은 나에 관해 여러 소문을 들 었을 것입니다. 특히 나를 허물어뜨리는 짓—그러니까 비장이 붙어있는 어디 쪽의 과자를 떼어먹는 짓—을 하게 된다면 마음 씨가 고약하고 험상궂은 마녀가 나타나 보복을 하게 된다고요. 그래서 나는 마녀의 희생물을 위한 하나의 덫이라고요. 반은 맞 고 반은 틀렸습니다.

나는 마녀를 위해서 살아가는 것은 아니지만, 마녀는 나와 적절히 기브앤테이크를 주고받고 있습니다. 그녀는 몹쓸 인간들, 그중에서도 열 살 이하의 어린놈들이 나를 허물어뜨리는 것을 보고 있지만은 않았습니다. 아니, 내가 나를 마음대로 뜯어먹어도 된다고 공시를 한 적이 있습니까? 없습니다. 전혀 없습니다. 어느 과자집도 그런 어리석고 자살행위와 같은 것을 한 적이 없습니다. 그런 과자집이 있다면 당장에 병원으로 데려가 정신 감정을 받아야 합니다.

아무튼 나는 마녀의 보살핌을 받았습니다. 그녀의 생김새는 흠잡을 데 없이 못생겼습니다. 피부는 얽어서 곰보가 되었고, 턱 여기저기에는 여드름이 잔뜩 났고요. 코는 매부리코에다가 눈은 쭉 찢어져서 위로 솟았고, 광대는 복숭아뼈처럼 불룩 튀어나왔습니다. 추녀라는 말 이상의 단어가 있다면 그녀에게 붙여야 옳을 지경이죠. 그러나 그녀의 마음씨는 그녀가 가진 외모보다 훨씬 더 나았습니다.

예를 들어, 헨젤 그리고 그레텔이라는 창백하고 못돼먹은 녀석들을 보십시오. 그녀가 나를 보호하고 보살피고자 한 노력을 합친다면, 그 녀석들은 불구덩이에 넣고 끓여 먹어도 시원찮을 판국입니다. 게다가 그녀는 나를 돌보느라고 진을 다 뺐기 때문에 시력까지 잃어가고 있었습니다. 아! 안타까운 마음으로 그녀에게 나를 버리라고 부탁했건만, 그녀는 생명을 함부로 할 수 없다면서 나의 제안을 거절했지요. 그렇게 흉물스러운 얼굴에서 비단 같은 마음씨가 있다니! 나는 감탄할 수밖에 없었습니다. 그녀는 내 옆구리에 부서진 비스킷을 봉합해 주었고, 지붕에 묻은 새똥을 정성스레 닦아내 주기도 했습니다. 간혹 그녀는 수줍은 얼굴로 내 창문에다 가벼운 키스를 해주었습니다.

"참 달콤한 창문이야."

그녀의 마음만큼이나 초콜릿 굴뚝이 수줍게 달아올랐습니다. 나는 그녀의 마음을 이해했습니다. 그렇지만 차마 고백을 받아들이지는 못하고, 문간의 초콜릿을 슬쩍 녹여서 흘려보냈습니다.

"아니 이게 다 뭐야."

그녀의 발 주변이 온통 초콜릿으로 뒤덮였습니다. 나는 과자로 만들어진 과자집이라, 감사를 표현할 방법은 오로지 이것뿐이었습니다. 그녀는 싱그럽게 웃으면서 신발을 흙바닥에 쓱쓱 문질러 버렸습니다.

그리고 앞서 말한 두 녀석들이 도착했습니다. 그들은 악동들이었습니다. 동화책 속에서는 단순히 그들이 과자 몇 개를 훔쳐먹은 정도로만 쓰여 있는 것으로 알고 있습니다. 물론 사실이 아닙니다. 이들은 사춘기 직전에 놓인, 식사량이 어마어마한 꼬마들이었습니다. 나는 그만 비명을 지르고 말았습니다. 헨젤은 창문을 주먹으로 내리꽂은 뒤 빼내어, 손가락에 묻은 초콜릿을 게걸스럽게 쪽쪽 빨아 먹었습니다. 그레텔은 지붕 위로 기어 올라가 초콜릿으로 된 기와를 쩍쩍 소리가 나도록 끌어당겨 빼냈습니다. 그러자 구멍이 송송 뚫린 초가집이 금세 완성되었죠.

이어, 헨젤은 벽을 발로 차기 시작했습니다. 비스킷으로 된 문의 경첩이 죄다 떨어져 나갔습니다. 문이 떨어져 나가기 무섭게 헨젤이 달려와 쾅쾅 짓밟기 시작했습니다. 아아— 나의 입, 과자집의 문짝은 완전히 으스러져 버렸습니다. 그들은 과자집을 부수며 주린 배를 채워갔습니다. 어쩌면 그들이 숲속에 버려진 게 다 이유가 있지 않을까 생각이 될 정도였습니다. 이쯤 되니 마녀가 생각났습니다. 그녀는 어디에 있는 것일까요?

헨젤과 그레텔의 무력 행위가 지속되면서 생명의 기운이 다하는 것이 느껴졌습니다. 그러자 근방에서 "훌쩍"하는 소리가 들렸습니다. 소리의 근원을 향해 고개를 들어보니, 그건 마녀의 소리였습니다. 그녀는 가슴을 부여잡고 숨죽여 울고 있었습니다. 그토록 사랑하던 과자집이 무너지고 부서지고 있는 걸 왜 쳐다만 보는 것일지, 나는 도통 알 수 없었습니다. 그렇다고 해서 구해달라고 말할 수 있는 처지도 아니었습니다. 그녀가 그동

안 베풀어 준 사랑에 비하면 나는 그저 받기만 한, 배부른 놈이었으니까요.

초콜릿으로 만들어진 난로가 부서지는 소리가 납니다. 천장 등이었던 알사탕이 떨어집니다. 그레텔이 굴뚝을 타고 안으로 들어가, 난로를 잔뜩 부수는 건가 봅니다. 나는 오늘을 기점으로 더는 마녀를 볼 수 없다는 것을 압니다. 나는 마녀를 향해 조그맣게 입을 벌려 봅니다. 마카롱으로 된 너덜거리는 입술이, 그녀에게 자그마한 고백을 던집니다. 고맙습니다. 사랑합니다. 그녀의 눈빛이 떨리는 것이 비칩니다.

그녀가 이쪽으로 서서히 다가옵니다. 원래의 모습이 아니라 어느 노파의 모습을 하고서 말입니다. 순식간에 변한 그녀의 모습에, 나는 정신이 아찔해지기까지 합니다. 그녀는 나를 어루만지며 조금만 기다리라고 합니다. 그녀의 눈에는 여전히 눈물이 고여 있지만, 그 속에는 분노와 사랑이 동시에 깃들어 있습니다. 이제 뒷문을 부수고 난로를 부수어 재끼는 두 악마에게, 그녀가 다가갑니다. 그녀의 손에는 작은 지팡이가 들려 있습니다.

나는 먹을 수 없는 존재입니다. 누가 감히 나를 먹을 수 있겠습니까? 나를 함부로 대한다면 헨젤과 그레텔처럼 반드시 마녀가 나타날 것입니다. 그러니 나는 먹을 수 없는 존재입니다. 나는 과자집입니다.

에필로그

『압정게임』을 출간하면서 참 많은 일들이 있었는데 그중 하나가 겹겹이 쓰기였다. 겹겹이 쓰기란, 이 소설을 쓰다가도 저 소설을 쓰는 일들이 쌓여 무엇을 쓰고 있는지 알 수 없는 상태를 의미한다. 겹겹이 쓰기를 하면서 내가 쓰는 이 작품이 부디 독자의 손에서 재미 요소를 건드릴 수 있는 것이 되기를 간절히 원했다. 한 놈만 패기, 의 자세는 비뚤어졌어도 한 작품만 쓰나 여러 작품을 동시에 쓰나 마음은 매한가지였다. 정말, 부디, 재미있었기를.

『압정게임』은 앤솔로지의 작품집에 수록된 내용과 미발표된 작품들을 한데 모아 묶은 작품집이다. 『압정게임』이 출간되기까지 숱한 고민과 시간들이 켜켜이 쌓여 있었는데, 그것들을 집대성한 것이 바로 여러분이 보고 있는 것이다. 최소 몇 개월에서 최대 2년 사이, 여러 작품을 집필하였고 그 중에서 가장 흥미로울 법한 작품들을 추려서 『압정게임』이라는 콘텐츠로 집약하였다.

「노인들의 세상」은 현재 거주 중인 건물에서 벌어진 에피소드를 유쾌한 방식으로 상상하여 쓴 작품이다. 심심치 않게 볼 수 있는 동네 공무원 준비생과 폐지를 줍는 일을 가지고 싸움을 벌이는 두 노인의 사이를 그려냈다. 두 노인은 실재하는 모델이 있으며 두 분 중 한 분은 세상을 떠, 이 자리를 통해 애도의 표시를 하고자 한다.

「바나나 우유에 빨대를 꽂은 날」은 만약에 부모가 훌쩍 떠나버리면 나는 어떻게 할까, 라는 상상을 토대로 써보았다. 만약 그런 경험이 있는 독자가 있다면 유감과 위로를 표한다. 여러 차례 그럴 법한 경험이 있어, 어린 시절을 떠올리며 쓰곤 했다.

「나비야」는 추운 날, 길고양이들이 몰려드는 광경을 보면서 발상을 떠올렸다. 처음에는 젊은 청년의 이야기로 풀어가려 했는데 나중에는 노인의 이야기로 주체를 바꾸었다. 죽음과 탄생의 교차점에서 새로운 감동이 드러났으리라 기대했다.

「압정게임」 역시 상상이 가미된 실제 이야기를 모티브로 했다. 현실에서는 책상의 홈에 압정을 심어놓은 녀석이 전교 몇 등에 드는 우등생이라 교사가 크게 관여하지 않았다. 특별히 누군가를 괴롭히려 압정을 사용하지 않았지만, 그런 위험한 상황을 만들어 내는 것만으로도 충분한 위협이 되었다. 그때의 나는 상황을 관찰만 하는 방관자였는데 좀 더 적극적으로 항의를 했었으면 하는 아쉬움으로 이 작품을 썼다.

「우주 복수 서비스」는 앤솔로지집을 제작할 당시 썼던 작품이다. 주제는 '사이'였는데 관계를 상정하는 것에 다른 방해 요소가 있으면 어떨지 하고 생각하며 썼다. 쓰면서도 웃었고, 다 쓰고 나서는 더 웃었다.

「비비」의 원제는 「디디」였다. 디디북스의 로고를 보면 떠올릴 수 있듯이, 「비비」는 온전히 우리집 강아지에 관한 이야기였다. 가족사진을 찍지 못하고 무지개다리를 건넌 것이 아쉬워서, 어린아이의 눈을 빌려 아쉬움의 정서를 표현했다. 그때 펫로스 증후군에 깊이 빠져있을 때라, 눈물을 흘리며 한 자 한 자를 겨우 썼던 것이 기억난다.

「나는 먹을 수 없는 존재입니다」는 '서점 로티'의 이갑수 선생님을 통해 더욱 탄탄해진 작품이다. 이 자리를 통해 이갑수 선생님께 진심으로 감사하다는 말을 전해드리고 싶다. 이 작품은 동화 '헨젤과 그레텔'의 패러디작이며, 과자집이 생물이라면 무슨 일이 벌어질까에 관한 상상력에 착안하여 쓰였다. 처음에는 마녀의 관점으로 쓰려고 하였으나 그러면 부동적일 것만 같아, 생명력의 호흡을 불어넣은 과자집을 선정하여 써 내려갔다.

『압정게임』을 다 읽어주신 독자님께 깊은 감사를 드린다. 디디북스의 단편소설집 후속은 더 다듬어진 후에 세상에 나타날 예정이다. 그때까지 더욱 깊이있는 글을 쓸 수 있도록 노력하겠다. 디디북스의 단편소설집 『압정게임』을 통해 좀 더 다정한 날이 되었기를 바란다.

압정게임

발행일 2024년 1월 2일 초판 1쇄

지은이 / 양단우
펴낸곳 / 디디북스 (디디컴퍼니)
디자인 / 박현준
마케팅 / 김동혁
출판등록 / 제2021-000112호
ISBN / 979-11-978198-6-5 (03810)
전자우편 / didicompany.kr@gmail.com
인스타그램 / @didi_company_books (디디북스)
           @didi_kim_ (작가)
홈페이지 / https://litt.ly/didibooks

* 잘못된 책은 바꾸어 드립니다.
* 값은 뒤표지에 있습니다.
* 이 책의 본문은 KoPub돋움체 및 바탕체, 을유1945체를 사용했습니다.